La guerre des elfes

Novélisation : Nicolas Jarry
Conception graphique du roman : Valérie Gibert et Philippe Sedletzki

Hachette Livre, 58, rue Jean Bleuzen, 92178 Vanves Cedex.

D'après l'œuvre de Patrick Sobral

La guerre des elfes

hachette
JEUNESSE

LES LÉGENDAIRES

DANAËL

Le chevalier du royaume de Larbos est le chef des Légendaires. Son épée d'or est au service de la justice et a été forgée dans le monde elfique.

GRYF

L'homme-bête aux griffes capables d'entailler la roche est le meilleur ami de Danaël. Courageux et impulsif, il s'attire souvent des ennuis !

JADINA

La princesse magicienne a une grande maîtrise des sortilèges. Mais c'est aussi une enfant gâtée souvent insupportable !

RAZZIA

Le colosse de Rymar a une force hors du commun. Très loyal envers le groupe, il protégera toujours les Légendaires.

SHIMY

Cette elfe élémentaire est capable de fusionner avec l'eau et la terre. D'apparence réservée, elle n'hésite pourtant pas à dire ce qu'elle pense !

Comment tout a commencé...

Dans les montagnes de Shiar, s'élevait la plus étrange et maléfique des demeures : un château appelé Casthell. Encore plus étrange et maléfique était son propriétaire, craint et connu de tous sous le nom de Darkhell, le sorcier noir. Son ambition démesurée était de dominer le monde d'Alysia grâce à ses terribles pouvoirs magiques.

Mais ses plans de conquête étaient sans cesse déjoués par cinq justiciers incarnant les plus belles valeurs du monde d'Alysia : le courage, l'intelligence, la noblesse, la force et la pureté. On appelait ces héros les Légendaires !

Chaque nouvelle défaite affaiblissait Darkhell qui sentait sa fin proche. Il décida alors d'utiliser l'une des six pierres que les dieux avaient créées pour donner naissance à Alysia : la pierre de Jovénia. Elle devait lui permettre de retrouver la force de sa jeunesse.

Mais encore une fois, les Légendaires intervinrent et c'est alors que l'irréparable se produisit ! Pendant le combat, la pierre de Jovénia tomba... et se brisa. Darkhell reçut de plein fouet l'onde de choc magique et fut instantanément terrassé. Même le sombre château ne put contenir la formidable énergie de la pierre qui déchira le ciel des montagnes de Shiar, avant de recouvrir de sa lumière la surface du monde d'Alysia.

Un étrange phénomène se produisit alors : les habitants d'Alysia, tous sans exception, se mirent à rajeunir au point de redevenir des enfants !

Les Légendaires, malgré leurs pouvoirs, partagèrent le même destin que les autres qui les désignèrent comme seuls responsables du sortilège maudit. Chassés du royaume, ils décidèrent de mettre un terme à leur union et chacun partit vers sa nouvelle vie. C'était la fin d'une ère, la fin d'une époque...

RÉSUMÉ DU TOME PRÉCÉDENT

La pierre de Crescia est détenue
par le Gardien, un être très puissant.
Pour la récupérer, les Légendaires grimpent
dans une tour semée d'embûches.
Mais Skroa, un sorcier vaincu par Darkhell,
les devance : il utilise la pierre pour retrouver
sa magie perdue. Le Gardien libère alors
les Légendaires sains et saufs.
Soulagés, ils ne remarquent pas la disparition
de l'élixir destiné à retrouver la mémoire...

CHAPITRE 1

Un elfe tombé du ciel !

Shiru le pêcheur est déprimé. Il patiente depuis l'aube et, tout ce qu'il a attrapé, c'est un minuscule poisson.

— Bon, j'attends pas forcément une truite, mais quand même... ronchonne-t-il. C'est pas avec ça que je me ferai une bonne friture !

Alors qu'il ramène sa ligne, son fil se tend.

— Ah ! j'le savais ! C'est mon jour de chance !

Il ferre d'un coup sec. Mais ce qu'il remonte n'a rien à voir avec un poisson, c'est un anneau ! Le métal est cuivré et d'étranges symboles sont gravés à l'intérieur. Shiru le soupèse.

— Peuh ! C'est même pas de l'or ! Cet anneau pourri n'a aucune valeur !

Dépité, il le rejette dans la rivière. (Cet anneau sera retrouvé bien plus tard par une petite créature aux pieds poilus... Mais ça c'est une autre histoire !) Shiru se rend compte qu'il est affamé.

— J'ferais mieux de rentrer. Le déjeuner ne va pas tomber du ciel...

Au moment de remballer ses affaires, une tache lumineuse apparaît deux mètres au-dessus de lui. Elle s'agrandit. Entre ses paupières

plissées, Shiru distingue une silhouette qui se dessine à travers le cercle de lumière et dégringole droit sur lui ! Il a juste le temps de tendre les bras pour rattraper l'inconnu. Celui-ci est mal en point. De larges plaques brunes recouvrent ses mains et son visage. Il souffre. Alors qu'il tourne la tête sur le côté, sa chevelure glisse, révélant ses longues oreilles effilées.

— Un... Un elfe ! s'étonne Shiru. Ne bougez pas, m'sieur ! J'vais chercher du secours !

Mais l'elfe lui prend la main. Sa voix est faible et ses mots hachés.

— Pas le temps ! Prévenir... Larbosa. Mon peuple... en péril. Sorcier... Hell.

— Hein ? Quoi ? Qui ? panique le pêcheur.

Rassemblant ses dernières forces, l'elfe lui tend un médaillon.

— Ma clé ! Sauvez... nous !

Puis il pousse un dernier soupir et se laisse aller en arrière.

— Moi j'voulais juste pêcher ! grommelle Shiru devant le corps étendu à terre.

Il glisse le médaillon dans son veston et s'éloigne en courant.

CHAPITRE 2

De la concurrence pour les Légendaires

À Oroban, capitale du royaume de Larbos, l'auberge des Trois Licornes est réputée pour sa bière autant que pour la valeur de ses mercenaires qui viennent de tous les horizons.

Au fond de la salle animée, dans un coin sombre, les Légendaires attendent leurs boissons. Ils ont enfilé de longs manteaux à capuches et parlent en chuchotant afin de ne pas attirer l'attention.

— Alors elles viennent, ces boissons ? râle Shimy.

— Chttt, discrétion, Shimy ! lui rappelle Danaël. Nous ne sommes pas populaires ici. Évitons de nous faire remarquer.

— Moi aussi j'ai soif, réplique Gryf.

Au même moment, une gamine rouquine entre dans l'auberge et se fraie un passage entre les mercenaires. Alors qu'elle se dresse sur la pointe des pieds pour tenter d'apercevoir ses compagnons, deux grosses brutes la bousculent.

— Hé ! Vous pourriez pas faire attention ? s'écrie la gamine avec aplomb.

— Non mais regardez-moi cette demi-portion ! se moque le plus gros des deux. Ça ne tient pas debout et ça veut donner des leçons ? Reck,

dis-lui ce qu'il en coûte de tenir tête aux deux plus terribles assassins de Larbos.

Son acolyte est grand et terriblement maigre. Il ressemble à un vautour.

— Le tarif plein, répond-il. Un programme de torture sur mesure… Du travail de pro, crois-moi, petite !

— Heu... Danaël ? On ne devrait pas intervenir, là ? s'inquiète Jadina.

— Je crois bien que si... soupire le chevalier. Allez, les gars !

Ils ôtent leurs manteaux et s'interposent d'un bond entre les assassins et la rouquine.

— Un pas de plus, mécréants, et vous aurez affaire aux Légendaires !

Mais les deux mercenaires, loin d'être impressionnés, explosent de rire.

— Heu... c'est un chouïa vexant, là ! leur fait remarquer Gryf.

— Mais... qu'est-ce qui leur prend ? s'étonne Shimy.

— À quoi vous vous attendiez ? leur lance la gamine. Ça fait longtemps que le nom des Légendaires n'impressionne plus personne... Contrairement à celui des FABULEUX !

— Les Fabuleux !? s'exclament les deux brutes, effrayées.

L'instant d'après, deux guerriers virevoltant dans les airs désarment les malfrats et atterrissent de part et d'autre de la petite rouquine.

— Ça va, Toopie ? demande celui de gauche, armé d'un tomahawk.

C'est un Comanshawa, il est vêtu de la tenue en peau traditionnelle de

son peuple. Ses cheveux sont rassemblés en une grande crête sur sa tête.

— Ouais, ouais ! répond la gamine.

— On prend les choses en main ! déclare Michi-Gan, le guerrier de droite.

C'est un Oriental. Il a les yeux bridés et porte les cheveux nattés. Son costume est celui des moines-guerriers Shoeli.

Les deux assassins se sont déjà enfuis. Les autres clients de l'auberge,

par contre, s'avancent avec enthousiasme en félicitant les héros, certains demandant même des autographes au trio.

— Les « Fabuleux » ? C'est quoi ce nom de nase ? grogne Gryf.

— Zamais entendu parler !

— Le moins que l'on puisse dire, c'est qu'ils ont la cote, eux !

— Non, mais c'est quoi cette histoire ? s'agace Jadina, vexée.

Elle écarte Michi-Gan du coude.

— Hum! Euh, merci pour le coup de main, mais maintenant, on va assurer avec la foule.

— On peut savoir de quelle manière vous avez « assuré » ces dernières années ? lui lance la fillette. Où étiez-vous quand le monde d'Alysia avait besoin de vous ? Allez, rentrez chez vous planter des tomates et laissez les vrais héros faire leur travail.

— Quoi ?! Tu peux répéter, la naine ? la défie Jadina.

— Qu'est-ce qu'il y a ? Elle entend pas bien, la mémé ?

Shimy désigne à ses compagnons une troupe des gardes royaux qui vient d'entrer.

— Voilà les problèmes qui arrivent !

— Par ordre de Larbosa, roi de Larbos, cessez ces hostilités ! exige le sergent de la garde. Les héros du peuple les « Fabuleux » se trouvent-ils parmi vous ?

— C'est nous ! répond le moine-guerrier.

Le garde lève devant lui un papier portant le sceau du roi.

— Par le présent parchemin, je vous demande de me suivre jusqu'au château où notre bon roi vous attend.

— Désolée de vous laisser, mais le roi a besoin de héros ! Tchao ! lance la gamine aux Légendaires en tournant les talons.

— Et vous, vous êtes qui ? s'enquiert le sergent en se tournant vers Danaël.

Le chevalier hausse les épaules.

— Bof, nous on est juste les Légendaires...

— Alors veuillez nous suivre ; le parchemin vous mentionne également !

Le palais du roi Larbosa domine la cité. Ses hautes tours rivalisent avec les sommets des montagnes.

Les Légendaires et les Fabuleux sont escortés par les gardes royaux auprès du roi Larbosa. Celui-ci se tient devant son trône et observe les héros. Sa couronne est un peu grande pour sa tête d'enfant, mais une véritable noblesse émane de lui.

Les Légendaires et les Fabuleux, agenouillés, attendent que le souverain s'adresse à eux.

— Danaël ! On va rezter longtemps comme za ? chuchote Razzia. Z'commenze à avoir des crampes !

Le chevalier lui fait signe de se taire. Finalement Larbosa s'approche d'eux.

— Levez-vous, héros d'Alysia, et écoutez-moi car l'heure est grave...

— Excusez ma question, Votre Altesse, le coupe Michi-Gan. Mais

si l'heure est si grave, que font les Légendaires ici? Les Fabuleux sont les héros officiels d'Alysia, non?

— Quoi?! s'indigne Razzia, levant son gros poing.

Mais ses compagnons l'arrêtent avant qu'il ne puisse atteindre le Fabuleux.

— Non, mais regardez-les! Incapables de garder leur sang-froid! ajoute la petite rouquine. On ne veut pas d'un nouvel accident Jovénia!

— Ils ont certes perdu leur prestige, mais il y a quelques mois, les Légendaires ont réussi l'exploit de délivrer et de ramener les Faucons d'Argent, rappelle le roi avec flegme. Est-ce que cela répond à votre curiosité, Fabuleux Michi-Gan?

Le guerrier s'incline.

— Oui. Veuillez pardonner mon impertinence.

— Comme je le disais il y a un instant, l'heure est grave. Il y a quatre jours, un elfe est arrivé à Alysia pour quérir l'aide de Larbos. Il semblerait que le monde elfique soit ravagé par une maladie mortelle.

— C'est p't-être la grippe ! dit Gryf. Il paraît que c'est une vacherie cette année !

— Gryf ! le reprend Jadina.

— Ce messager n'a pas survécu, poursuit Larbosa. Une seule certitude : ce « mal » est d'origine magique et ne frappe que les peuples du monde elfique. C'est du moins ce que mes meilleurs mages ont observé.

— Attendez ! s'écrie Shimy. Vous insinuez que cette maladie n'est pas le fruit du hasard ? Que quelqu'un tente de décimer mon peuple ?

— C'est ce que vous allez devoir découvrir !

Le monarque tire de sous son vêtement une clé elfique enroulée autour d'un parchemin portant le sceau royal de Larbos.

— Voici la clé que possédait l'elfe. Prenez également ce parchemin que vous remettrez de ma part au roi Kash-Kash... s'il est en vie. Légendaires, Fabuleux, vous avez pour mission de

porter assistance au peuple elfique en découvrant et en anéantissant l'origine du maléfice qui frappe son monde !

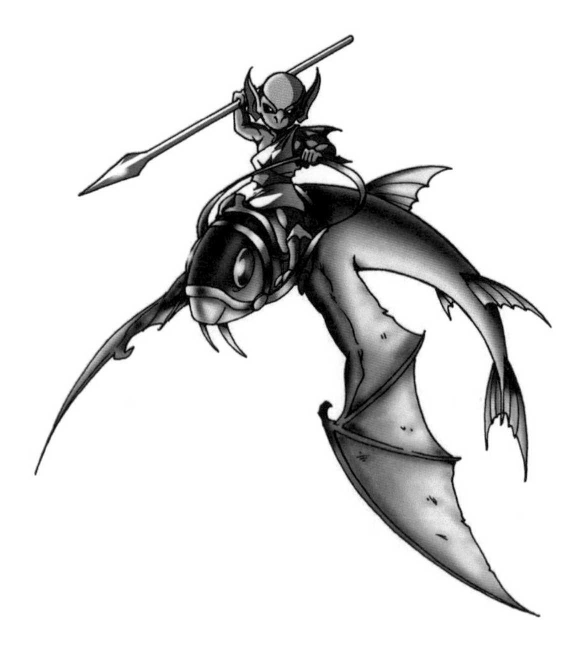

CHAPITRE 3

Bataille en plein ciel !

La mer intérieure est d'un calme plat malgré une brise puissante. Shiru le pêcheur a arrêté sa barque assez loin de la côte, car il espère attraper des thons lunaires. La dernière fois, avec cet elfe qui lui était tombé dessus, il était rentré bredouille et surtout il avait dû répondre à des centaines de questions !

— En tout cas, c'est pas ici que quelque chose risque de me tomber

sur la tête ! dit-il en s'adossant confortablement au rebord de sa barque.

Au même instant, le Dragon des Mers surgit dans la nuit en glissant silencieusement sur l'eau. Dans un craquement sec, il brise l'embarcation du pêcheur en deux. Shiru n'a même pas le temps de crier, déjà le navire s'éloigne.

— Z'aurais zuré qu'on avait heurté un truc, dit Razzia en regardant autour de lui.

Mais le navire file rapidement et la nuit est sombre. Il ne voit rien.

— On a dû perdre un bout de coque ! lance Toopie, la gamine rouquine. Ce bateau est tellement pourri que ça ne m'étonnerait pas !

Les Fabuleux ont embarqué avec les Légendaires sur le Dragon des Mers.

— Quel manque de politesse ! s'agace Jadina. Au lieu de nous critiquer, vous feriez mieux de nous remercier de vous avoir pris à bord ! On aurait pu vous laisser vous débrouiller tout seuls !

— Moi, z'que z'aimerais bien zavoir, z'est pourquoi on doit trimbaler zette caizze qui pèse une tonne ! dit Razzia en désignant du pouce

l'énorme boîte en bois qui trône au milieu du pont.

— C'est vrai. On a assez de vivres pour des semaines et ce truc nous ralentit ! renchérit Gryf.

— À l'intérieur se trouve le fruit de mon intelligence et ma plus grande fierté ! déclare Toopie en tapotant affectueusement la caisse.

Elle se tourne ensuite vers Razzia :

— Et puis je ne crois pas que ce soit ce qui alourdit le plus le bateau. Suivez mon regard ! C'est bien Razzia, ton nom ?

— On peut zavoir ze que tu inzinues ? s'énerve le colosse en tentant de rentrer sa bedaine.

— Oh, rien, pourquoi ?

Danaël soupire :

— Eh bien ! Je sens que cette mission en coopération ne sera pas de tout repos, hein, Shimy ?

Mais l'elfe s'est éloignée, elle regarde l'horizon. Le chevalier comprend que son amie est bouleversée.

— Shimy? Que se passe-t-il?

— Mon peuple meurt, Danaël... Depuis ma petite enfance, j'ai suivi la formation d'elfe élémentaire, gardienne de la paix du monde elfique. Mais après ça, j'ai choisi de vivre dans le monde des humains. Et maintenant...

Danaël pose sa main sur la sienne.

— Ce qui se passe là-bas n'est pas de ta faute!

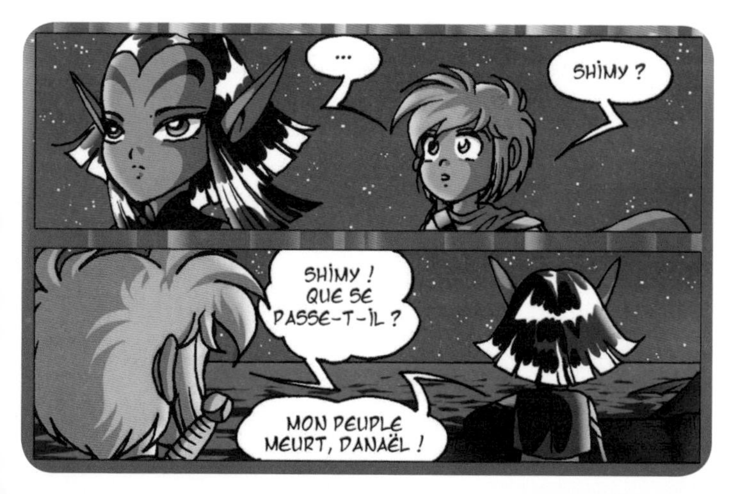

— Je sais, mais je devrais être en train de protéger les miens en ce moment.

— Je sais parfaitement ce que tu éprouves ! déclare Shaki, le Comanshawa, qui s'est approché en entendant le discours de l'elfe. Mon peuple a été exterminé par un sorcier maléfique. Je m'en suis longtemps voulu d'avoir échappé au massacre. Mais j'ai compris, depuis, que si j'ai survécu, c'est que le destin avait d'autres projets pour moi. Chaque événement a une raison d'être... Je suis sûr qu'il en est de même pour toi.

Shimy acquiesce. Danaël s'approche de la proue en prenant sa clé elfique.

— Il est temps de passer dans le monde elfique !

La clé vibre avant de projeter un faisceau lumineux devant le navire.

— Nous allons arriver en plein jour, alors il faudra un moment à nos yeux pour s'y habituer, les avertit le chevalier. Mais à part ça, tout devrait se passer sans problème.

Le Légendaire ne sait pas à quel point il se trompe... Au moment où le navire traverse la porte de lumière, des cris et des hurlements retentissent autour d'eux. Le Dragon des Mers fonce droit sur un gigantesque navire de guerre elfique attaqué par une horde de créatures volantes. Des humanoïdes bleus chevauchent de gros poissons ailés à la gueule hérissée de crocs menaçants.

— Jadina, nous allons heurter ce navire ! crie Danaël.

— Je m'en occupe !

Levant son bâton aigle, Jadina dresse une protection entre les deux navires. Au moment où les coques

entrent en contact, l'énergie magique dissipe la violence du choc dans une gerbe de lumière verte.

— Mais qu'est-ce qui se passe ici ? s'écrie Michi-Gan.

— On a zurzi au milieu d'une bataille entre un navire elfe et zes drôles de créatures zur des poizons volants ! répond Razzia, son sabre en main.

— Ce sont des Piranhis, les ennemis héréditaires des elfes ! précise Shimy en attachant une corde autour de sa taille. Il faut les affronter !

Elle attache l'autre côté de la corde au mât. Danaël tente de la retenir avant qu'elle ne saute par-dessus bord.

— Attends, Shimy ! On ne sait pas vraiment ce qu'il se passe ! Je croyais les elfes et les Piranhis en paix !

— On nous a envoyés pour aider

le peuple elfique, non ? déclare l'elfe. C'est ce que je fais !

Elle se jette dans le vide. La corde se tend et, dans un mouvement de balancier, Shimy plonge sa main dans l'eau pour lancer une attaque élémentaire. Un javelot d'eau frappe de plein fouet un Piranhi, qui va s'écraser sur le pont du navire elfique.

— L'elfe a raison, chevalier, dit Shaki. Nous sommes en mission de secours, alors secourons ! Vous êtes des héros, oui ou non ? Les Fabuleux le sont, eux !

Le Comanshawa se projette dans les airs alors qu'un Piranhi passe à sa portée. Il désarçonne le cavalier d'un coup de tomahawk.

— La grande classe ! souffle Gryf, impressionné.

— Il vient d'un zirque ou quoi ? s'étonne Razzia.

— Au lieu de jacasser, aidez-moi à grimper, vite ! leur ordonne Toopie en tentant d'escalader la grosse caisse posée sur le pont.

— Tu veux te cacher à l'intérieur ? Pas si héroïne que ça, hein ? se moque l'enfant-fauve en lui faisant la courte échelle.

La gamine s'introduit dans la boîte.

Un instant plus tard, une énorme créature de métal qui ressemble à un gorille en sort, fracassant les panneaux de bois.

— **Et voici l'entrée en scène du Fabuleux Ding-Dong!** s'écrie une voix métallique provenant du robot.

— Le gorille parle avec la voix de Toopie ! Z'crois qu'il l'a manzée ! panique Razzia.

— Non ! Je crois plutôt que Toopie manipule cette chose de bois et de métal ! le rassure Jadina.

Ding-Dong soulève Michi-Gan dans sa grosse main.

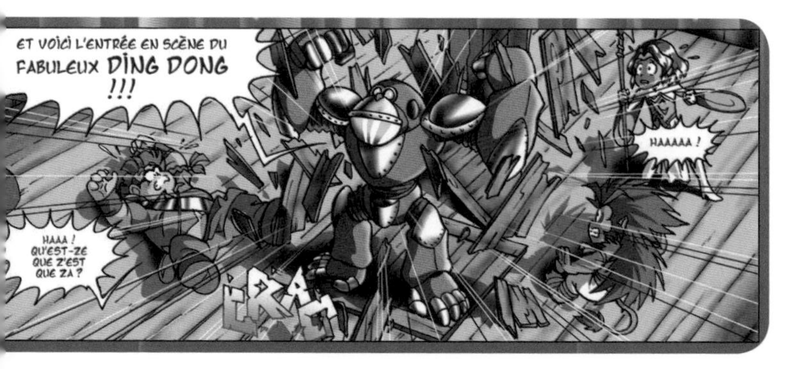

— **Accroche-toi, Michi-Gan!**

La créature de métal lance le Fabuleux dans les airs. Le guerrier tranche un poisson volant en deux avant que Shaki, qui s'est emparé d'une autre monture, ne vienne le récupérer.

— On peut dire que tu tombes à pic ! s'exclame le moine-guerrier.

— À ton service ! sourit le Comanshawa.

— Comment s'en sort Toopie ?

— Elle s'est installée aux commandes de Ding-Dong... et je dirais qu'elle ne s'en tire pas trop mal !

Les Piranhis, paniqués par la violence de l'attaque, s'enfuient. Sur le bateau elfique, les marins hurlent de joie. Seule leur capitaine ne semble pas partager leur enthousiasme. Elle jette un regard noir sur le pont du navire humain.

— Alors, Légendaires ! Vous voyez

que vous ne faites pas le poids face aux « Fabuleux d'Alysia » ! se moque Michi-Gan.

— Oh, Za va, hein ! s'agace Razzia.

— Eh bien ? Que dites-vous de ma petite intervention ? Efficace, non ? les nargue Toopie en ouvrant le cockpit de Ding-Dong.

— Ouais, ben puizque tu as l'air zi douée en bricolaze, tu vas réparer les dégâts que tu as causés sur le bateau de mon cousin ! Za ne pozera aucun problème à un zénie comme toi, hein ? réplique Razzia en désignant les trous que le robot a faits sur le pont.

— Les Légendaires savent-ils faire autre chose que râler ? s'énerve la petite rouquine. Parce qu'à part Shimy, j'en ai pas vu un lever le petit doigt !

— Pour une fois que Shimy fait

quelque chose pour son peuple ! lance la voix du capitaine des elfes.

Tous se tournent vers le navire elfique qui domine le Dragon des Mers. Le capitaine est une elfe élancée et athlétique. Ses longs cheveux dorés volent dans son dos.

— Qui c'est celle-là ? marmonne Jadina.

— Elle porte l'uniforme de capitaine des forces armées elfiques, lui fait remarquer Danaël.

— J'en oublie les convenances, dit l'elfe. Laissez-moi me présenter... Mon nom est Shamira ! Je suis le capitaine de l'escouade bleue du roi Kash-Kash !

— Ça y est, je suis amoureux ! soupire Gryf.

Michi-Gan hausse les épaules :

— Bof, moi les blondes...

— Si vous êtes au service du roi

Kash-Kash, veuillez nous conduire jusqu'à lui ! dit Danaël en brandissant leur ordre de mission. Nous sommes envoyés par le roi Larbosa afin de vous porter assistance contre la maladie qui frappe votre monde. Nous avons des raisons de croire qu'elle a été conçue pour décimer votre peuple.

— Vous pensez nous apprendre quelque chose ? réplique Shamira. C'est le peuple des Piranhis qui a lâché cette peste maléfique sur les nôtres. Mais cette maladie n'est plus une menace de toute façon. Un mage du monde des humains est venu nous aider il y a sept lunes et il nous a fourni un remède.

— Nous sommes soulagés que ce mage vous ait offert son aide, dit Michi-Gan. Mais sur quoi vous basez-vous pour dire que les Piranhis sont responsables de votre malheur ?

— Sur quoi ? Regardez derrière moi, et vous comprendrez ! réplique le capitaine en leur désignant le nord.

Au loin, un gigantesque nuage rouge a envahi l'horizon. Il s'étend sur des centaines de kilomètres et s'élève haut dans le ciel.

— Et dire que ze l'avais même pas vu ! siffle Razzia, impressionné.

— C'est dans sa direction que se sont enfuis les Piranhis, leur fait remarquer Shaki.

— Jadina, tu en penses quoi ? demande le chevalier.

— Ce n'est pas un nuage naturel. Ça me fait plutôt penser à une sorte de camouflage magique.

— Ce nuage est apparu au-dessus du pays des Piranhis il y a quinze lunes, explique le capitaine. Dès lors, des elfes ont commencé à mourir dans les îles aux alentours... puis dans

la quasi-totalité du reste de notre monde. Ensuite, le mage est arrivé et nous a offert son aide. Le peuple elfique lui doit sa survie.

— J'aimerais beaucoup rencontrer ce mage, dit Jadina.

— Mais dites-moi, comment avez-vous su que nous étions victimes d'une épidémie ? s'étonne le capitaine.

Danaël sort d'une de ses poches le médaillon elfique.

— L'elfe à qui appartenait cette clé est venu dans notre monde demander l'aide du roi Larbosa. Hélas, il a succombé à la peste avant d'avoir pu nous en apprendre plus sur ce qui se passait ici.

— Je vois. Il devait s'agir d'un des espions que nous avions envoyés chez les Piranhis avant l'arrivée du mage. Il n'a pas pu bénéficier du remède. D'ailleurs aucun d'eux n'en est

jamais revenu, ajoute l'elfe avec tristesse. Héros d'Alysia, si tel est toujours votre désir, je vous escorterai jusqu'au roi Kash-Kash. Mais sachez ceci : le peuple elfique est entré en guerre contre le peuple piranhi !

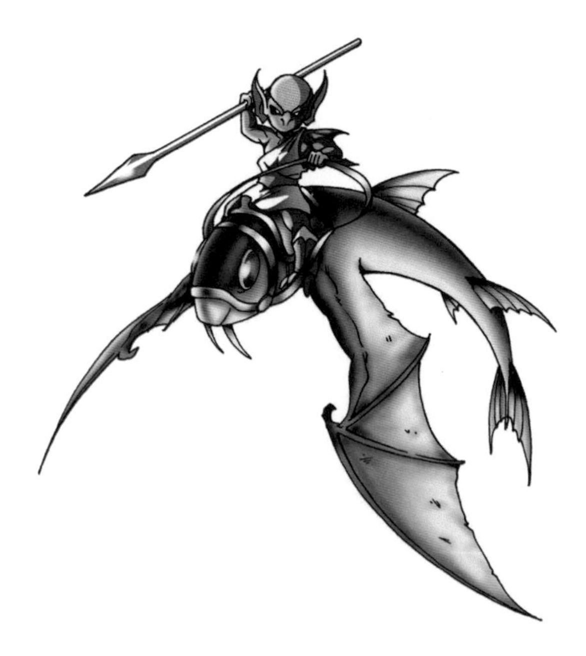

CHAPITRE 4

Le Trésor des Dieux

Sur l'île des Piranhis, tout n'est plus que pénombre et vapeurs puantes. La côte, hérissée de récifs meurtriers, est éclairée par une lueur rougeoyante qui parvient difficilement à percer le nuage maléfique.

Partout résonnent les coups de pioches et de marteaux sur la roche. Tout le peuple piranhi travaille dans les mines, creusant de plus en plus

profond, arrachant des tonnes de pierres aux entrailles de l'île.

Le seigneur Skalp-Hell observe les mineurs qui s'épuisent à la tâche. Il est vêtu d'une longue cape qui lui recouvre tout le corps et porte un masque.

— Les travaux n'avancent pas assez vite ! s'impatiente-t-il en se tournant vers le général des Piranhis. Pouvez-vous m'en donner la raison ?

Le général s'avance, essayant de ne pas montrer la crainte qu'il éprouve face à cet humain.

— Peut-être que si vous nous indiquiez plus précisément où creuser, nous aurions déjà trouvé le Trésor des Dieux.

— Comme je vous l'ai dit, je sais qu'il a été enfoui au cœur de votre île, mais je ne connais pas son emplacement exact. C'est pourquoi j'ai besoin de votre aide.

— J'espère seulement que lorsque nous l'aurons trouvé, vous tiendrez votre promesse.

— Je n'ai qu'une parole, général Rasga ! répond le seigneur Skalp-Hell en se tournant vers les mineurs.

Puis son regard revient vers le Piranhi :

— Avec le pouvoir que m'apportera le Trésor des Dieux, je créerai un nouveau monde fertile et vierge ! Votre peuple pourra quitter cet infâme caillou où les elfes vous contraignent à vivre depuis des siècles.

— À moins que d'ici là, nous ayons une autre mauvaise surprise... comme ce nuage rouge que nous avons libéré en creusant trop profondément, réplique le général. Il a décimé les miens !

— Accident regrettable en effet, admet le seigneur. J'aurais dû prévoir qu'un tel trésor serait protégé. Mais depuis, je vous ai immunisés contre cette peste magique grâce à mon remède, non ?

— Oui, mais le nuage a gagné le pays elfique. Ses habitants pensent qu'il s'agit d'une attaque délibérée

des Piranhis contre leur peuple. Nous sommes maintenant en guerre!

Une troupe de soldats s'approche d'eux :

— Général! Nous repoussions un navire elfique qui était dans les eaux territoriales quand un bateau humain est apparu et s'est allié à nos ennemis!

— Des humains? s'étonne le général Rasga.

— Oui, ils étaient inférieurs en nombre, mais d'une force redoutable!

— Il semblerait que Kash-Kash ait été chercher de l'aide auprès de Larbosa. Les choses se compliquent!

Le seigneur Skalp-Hell s'avance, inquiet de la tournure que prennent les événements:

— Si ce sont les humains auxquels je pense, il va falloir accélérer mes

plans, général Rasga. Je vais avoir besoin de votre meilleur espion !

— Où voulez-vous l'envoyer ?

— Là où se trouve notre problème numéro un. À Karakis, la capitale du royaume elfique !

À Karakis, il n'y a aucune trace du nuage magique. Le port de la capitale elfique est paisible, malgré la guerre qui se prépare.

Les Légendaires et les Fabuleux sont conduits devant le roi Kash-Kash. Sa présence imposante et joyeuse contraste avec la tension ambiante.

— Ah ! Quelle joie d'accueillir des humains dans mon royaume ! Héros d'Alysia, soyez les bienvenus à Karakis ! Ah ! Ah !

— C'est lui le roi Kash-Kash ? s'étonne Gryf. Il est pas trop stressé, celui-là !

— Il a toujours été comme ça ! soupire Shimy, blasée.

Le roi Kash-Kash donne un petit coup de coude complice à Danaël :

— Alors, c'est ce bon vieux Larbosa qui vous envoie ? Qu'est-ce qu'il devient ce petit brigand ? Toujours aussi coincé ?

— Heu… ben... Il...

— Vous savez que Larbosa et moi, on en a fait des vertes et des pas mûres dans notre jeunesse ? poursuit le souverain avec un clin d'œil plein de sous-entendus malicieux.

Pendant que Danaël et le roi parlent, Razzia s'adresse au capitaine :

— Heu... capitaine Shamira ? Z'ai

cru remarquer que vous ne portiez pas Shimy dans votre cœur. Elle a fait quelque chose de mal ?

— Il ne s'agit pas de ce qu'elle a fait, mais de ce qu'elle aurait dû faire ! Maintenant, excusez-moi, mais j'ai d'autres préoccupations.

— Mais...

— Laisse tomber, Razzia, dit Shimy qui a suivi la conversation. Ce n'est pas toi qui changeras ce qu'il y a entre elle et moi !

— RAZZIA ! s'écrie Gryf, furieux. Dis donc ! Tu crois que je n'ai pas vu ta technique de drague ? Je te signale que j'ai vu le capitaine Shamira le premier. OK?

Puis il s'élance sur les traces de l'elfe.

— Capitaine Shamira ! Attendez-moooooi !

— Pathétique ! murmure Razzia.

— J'allais le dire! approuve Shimy.

Le roi tape dans ses mains pour attirer l'attention des convives.

— Mes amis, je viens d'avoir une idée for-mi-da-ble! En l'honneur de la visite de nos alliés d'Alysia, mais surtout du mage humain qui nous a sauvés de la peste magique, j'ai décidé d'organiser un bal ici même! Il aura lieu ce soir et, bien sûr, vous y êtes tous conviés!

— On va enfin rencontrer ce fameux mage qui nous a coupé l'herbe sous le pied! dit Toopie.

Une intendante s'incline devant les héros.

— Héros d'Alysia, veuillez me suivre ! Je vais vous conduire à vos quartiers où vous pourrez vous rafraîchir et vous reposer avant le bal de ce soir.

Alors que le soir tombe sur Karakis, personne ne voit la silhouette d'un Piranhi émerger des flots et se glisser en toute discrétion dans le palais.

Danaël et Michi-Gan se retrouvent sur une terrasse à l'écart de l'agitation ambiante.

— Qu'est-ce que tu fais ? demande le Fabuleux.

— J'admire le paysage. Comment une civilisation aussi parfaite a-t-elle pu tomber dans l'engrenage de la guerre ?

— Ne prends pas mal ce que je vais te dire... mais toi et tes compagnons

êtes des héros d'une époque révolue où les choses étaient plus simples. Pourquoi ne rentrez-vous pas en laissant les Fabuleux gérer le présent ?

— Parce que Toopie a dit quelque chose de vrai à l'auberge des Trois Licornes. Nous n'avons pas été là quand Alysia avait besoin de nous. Après l'accident Jovénia, nous avons fui lâchement nos obligations. Ça n'arrivera plus jamais !

— Bonne réponse, sourit Michi-Gan.

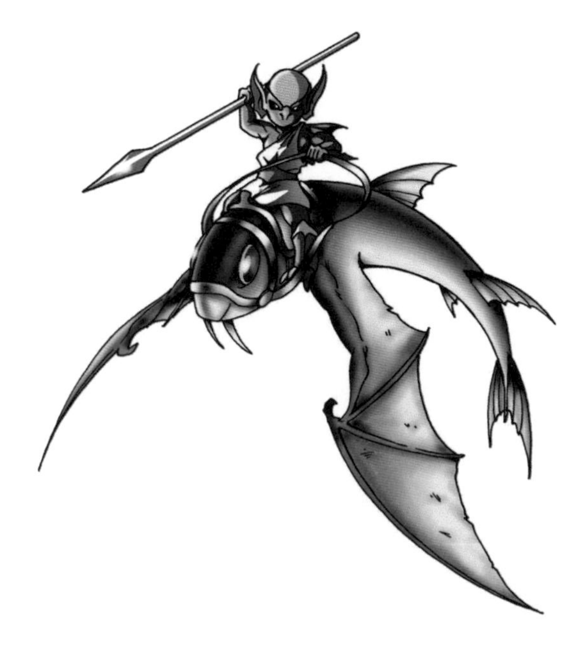

CHAPITRE 5

Un mage et un assassin parmi les invités !

Au-dessus du palais elfique, les feux d'artifice explosent en de vastes champignons lumineux.

— Qui aurait cru que les elfes savaient faire la fête ? s'extasie Gryf.

— Rappelle-toi qu'ils viennent d'échapper à l'extinction de leur peuple, lui dit Danaël.

Puis vient le bouquet final et les invités rentrent dans la salle de bal.

Shimy et Jadina sont vêtues de

magnifiques robes parées de pierres et de métaux précieux. Si la magicienne marche avec grâce et assurance, l'elfe est mal à l'aise. Elle n'a pas l'habitude de ce genre de manifestation et, sans l'insistance (appuyée !) de Jadina, jamais elle ne se serait laissé entraîner dans cette aventure.

— Jadina, tu es éblouissante ! s'exclame Danaël. M'accordes-tu cette danse ?

— Avec joie !

Gryf s'avance vers Shimy, mais au moment de l'inviter à danser, son œil est attiré par le capitaine Shamira qui vient d'arriver. L'elfe est magnifique dans sa robe d'un bleu azur. L'enfant-fauve se précipite vers le capitaine.

Michi-Gan, qui a observé la scène du coin de l'œil, s'approche de Shimy :

— Il semblerait que ton petit ami ait une préférence pour ta rivale !

— Ce n'est pas mon petit ami et ce n'est pas ma rivale ! enrage l'elfe.

— Au fait, elle est pas là, la chipie ? s'étonne Razzia en engloutissant les petits-fours par poignées.

— Toopie est couchée, il est tard pour une petite fille ! répond Shaki.

— Hein ? Tu veux dire que z'est une vraie gamine, et pas une adulte touchée par l'aczident Zovénia ?

— Exactement ! sourit le guerrier. Mais ne te fie pas à son jeune âge ! C'est un véritable génie qui nous a sauvés plus d'une fois grâce à ses inventions !

Pendant ce temps, Gryf, qui danse avec le capitaine Shamira, perçoit une odeur familière. Il approche son nez tout près du cou de l'elfe pour la renifler de plus près.

— Mais... que faites-vous ? s'exclame Shamira, gênée.

Gryf fait un bond en arrière, comme s'il s'était retrouvé face à un serpent.

— Ahh ! Désolé, mais je... je viens de me rappeler que j'ai promis cette danse à... quelqu'un d'autre ! s'exclame-t-il en s'enfuyant.

Il attrape Shimy par un bras et la tire à l'écart

— Qu'est-ce qui t'arrive ? s'écrie l'elfe en colère. Ta cavalière n'a pas voulu de toi, alors tu te rabats sur moi, c'est ça ?

Gryf regarde son amie avec gravité :

— Shimy, pourquoi ne pas avoir dit que le capitaine Shamira était ta mère !

— Hein ? Mais comment as-tu...

— L'odeur. Vous avez la même ! Pourquoi est-ce que ta propre mère semble te détester à ce point ?

L'elfe est terriblement triste.

— C'est une histoire de famille. Ne t'en mêle pas, Gryf.

Pendant ce temps, un nouvel invité vient d'arriver dans la salle.

— Ha ! Vous voilà enfin, Mage ! s'exclame le roi Kash-Kash. Mesdames, messieurs, accueillez comme il se doit le sauveur du peuple elfique !

— Arrêtez, roi Kash-Kash ! Vous me gênez, déclare modestement le sorcier. Je n'ai fait que mettre mes talents au service d'une noble cause !

— ÉLYSIO ! s'écrient les Légendaires, stupéfaits.

Leur ancien compagnon d'infortune sursaute en reconnaissant les héros d'Alysia :

— Vous ? Qu'est-ce que vous faites ici ?

— Ah ? Vous vous connaissez ? s'étonne le roi. Quelle heureuse surprise !

— Ce n'est pas le terme que j'aurais choisi, dit Danaël.

Puis le chevalier se tourne vers Élysio :

— Je vois que tu as fait du chemin depuis les plaines de Klafooty. Apparemment tu n'as plus aucun problème pour contrôler ta magie. As-tu été faire un petit tour chez les Zar-Ikos, par hasard ?

— Après tout le mal que vous vous êtes donné, je m'en serais voulu de gâcher votre travail en y retournant.

— Tu comprends quelque chose à ce qu'ils racontent ? demande Michi-Gan à Shaki.

— Non ! Mais cet Élysio... c'est

comme si je l'avais déjà rencontré... Bizarre !

— Y a-t-il un ennui, Mage ? s'inquiète le roi, percevant la tension entre les Légendaires et Élysio.

— Aucun, roi Kash-Kash, les Légendaires et moi avons un passé en commun très mouvementé, mais à présent tout est réglé, lui assure le mage.

— Dans ce cas, que la fête continue !

Mais alors que les musiciens se sont remis à jouer, l'intendante qui avait

guidé les Légendaires et les Fabuleux à leurs appartements se jette en direction du roi et d'Élysio, un poignard à la main. Gryf est le premier à réagir. Il s'interpose. L'assassin fait alors un salto avant et lui file entre les griffes.

— Mais c'est qu'elle est agile, la bougresse !

— Jadina ! Shimy ! Faites sortir le roi et les invités ! ordonne Danaël en utilisant sa cape pour détourner l'attention de l'intendante.

— Bon sang, depuis quand les habilleuses elfiques sont aussi ninjas ? s'écrie-t-il en reculant.

Élysio remarque alors le pendentif accroché au poignet de l'elfe.

— Ce n'est pas l'intendante ! s'écrie-t-il. C'est un Piranhi muni d'un talisman d'illusion !

— Zi z'est le cas... Pas de quartier ! hurle Razzia.

Le colosse esquive un coup de poignard et frappe l'agresseur qui est projeté dans les airs. Le capitaine Shamira le désarme avant qu'il ne se relève.

Shimy, empêtrée dans sa robe de bal, vient au secours de sa mère.

— Le roi est à l'abri ! Ici, ça va ?

— Le problème est résolu, merci ! Mais pas grâce à toi ! lui répond le capitaine, glaciale.

Élysio arrache le pendentif du poignet de l'assassin. L'elfe disparaît et à la place se tient un Piranhi.

— C'est une dent de sagys ! explique Élysio en tenant le pendentif devant lui. En la portant, on prend l'apparence de la personne dont le sang a touché le talisman. L'intendante est probablement ligotée quelque part dans le palais. Le charme

d'illusion ne marche que si le modèle est vivant.

Le capitaine Shamira se tourne vers les invités :

— Légendaires, Fabuleux, Mage ! Je vous recommande de regagner vos quartiers, le temps que nous sécurisions le palais.

Élysio pose sa main sur l'épaule de l'enfant-fauve :

— Nous avons des choses à nous dire.

— Je le crois aussi, acquiesce le Légendaire.

CHAPITRE 6

Le visage de l'ennemi

Sur l'île des Piranhis, le seigneur Skalp-Hell bout d'impatience. Autour de lui, les mineurs, arc-boutés sur leurs pioches, creusent sans relâche le sol rocailleux. Il sent la puissance fantastique du Trésor des Dieux qui est désormais tout proche... Mais il sait également que le temps est compté. Bientôt ses ennemis héréditaires seront là.

Il se tourne vers le général Rasga :

— L'assassin a échoué, général !

— Comment le savez-vous ?

— Grâce à la dent de sagys que j'ai confiée à votre soldat. Le charme de vision que j'ai jeté dessus m'a permis de voir et d'entendre tout ce qui s'est passé. Mais les dégâts sont limités, les elfes pensent que le roi Kash-Kash était la cible.

— Alors qu'il s'agissait de ce mage, acquiesce le général. Vous saviez que mon espion allait échouer, n'est-ce pas ? Vous vouliez juste avoir des yeux sur place pour identifier les humains qui ont porté secours aux Elfes ! Votre stratagème a causé la perte d'un Piranhi ! lance-t-il d'un ton accusateur.

— Et vous en perdrez encore d'autres ! réplique le seigneur dont la voix se fait menaçante. Et ce, jusqu'à ce que vous et moi ayons ce que nous

voulons ! Rappelez-vous vos propres paroles : « Nous sommes en guerre. »

Ils sont interrompus par un contre-maître qui court dans leur direction, affolé.

— Général ! Une équipe vient de mettre à jour des ruines dans une galerie au cœur de la montagne !

— Aucun Piranhi n'a jamais vécu si profondément dans cette île ! s'étonne Rasga.

— En revanche, c'est une place de choix pour le Trésor des Dieux ! exulte le seigneur Skalp-Hell en s'engageant dans la mine.

Shimy a enfin posé son encombrante robe de bal. On frappe à sa porte. C'est sa mère, le capitaine Shamira. Elle a remis son armure. Elle est fatiguée, car elle a passé une partie de la nuit à sécuriser le palais.

— Maman ? s'étonne Shimy. Je n'attendais pas ta visite.

— Elle n'a rien de cordial, réplique le capitaine en lui tendant une gourde. Je viens simplement t'amener ceci.

— Qu'est-ce que c'est ?

— Je te rappelle que tu es une elfe, même si tu as choisi Alysia comme patrie. Par conséquent, tu restes sensible au nuage rouge des

Piranhis. Il s'agit du remède que le mage Élysio a mis au point pour nous immuniser.

— Tu sais, vous ne devriez pas trop faire confiance à Élysio, dit Shimy en buvant d'un trait le liquide. Il n'est pas... exactement ce qu'il semble être, crois-moi.

Shamira se raidit.

— Tu veux que je te dise ce que je trouve d'amusant ? Qu'un humain comme lui ait fait plus pour notre peuple qu'une certaine elfe élémentaire... À qui crois-tu que je vais faire le plus confiance ?

— J'en ai assez ! explose Shimy. Combien de temps vas-tu me reprocher mon choix de vie ? Papa l'a accepté depuis longtemps, lui.

— Ce n'est pas lui qui a passé la moitié de sa vie à te former pour devenir une elfe élémentaire !

Les deux elfes se tiennent face à face, comme deux lionnes prêtes à se sauter à la gorge.

— Et alors? Tu t'es demandé une seule fois si c'était mon désir de suivre cet enseignement? s'exclame Shimy, aveuglée par la colère. Moi, tout ce que je voulais, c'était devenir vétérinaire!

— Ingrate! s'écrie Shamira. N'importe qui rêverait d'être à ta place!

— Ah ouais ? Mais je la laisse, ma place! hurle Shimy encore plus fort.

Danaël assiste à la scène, pétrifié. Il était venu chercher Shimy, mais soudain, il regrette d'être entré dans la pièce. Il se dit que, peut-être, s'il recule doucement, sans bruit... Mais les deux filles ont senti sa présence. Désormais elles se font face sans un mot, leurs regards jetant des éclairs furieux.

Finalement le capitaine Shamira tourne les talons et sort de la pièce, les mâchoires serrées et la démarche raide.

— Heu, Shimy, est-ce que tout va bien ? s'inquiète Danaël.

— Ben ouais, pourquoi ? grogne l'elfe, encore rouge de rage. Je peux te rendre un service ?

— Rejoins-nous en bas ! dit Danaël. Il se passe quelque chose.

Le général Rasga et le seigneur Skalp-Hell, guidés par le contremaître, arrivent dans une grande salle au bout de laquelle se trouve une double porte en métal haute d'une dizaine de mètres. Les mineurs qui ont découvert ce lieu ont été transformés en statues de pierre. Leurs silhouettes pétrifiées gisent sur le sol.

— Que s'est-il passé ? s'affole le général Rasga, dégainant son sabre.

Skalp-Hell lui fait signe de rester en arrière et s'avance, sans un regard pour les infortunés Piranhis.

— Ils ont dû essayer d'ouvrir la porte avant notre arrivée. Les imbéciles ! Il était évident que le Trésor des Dieux serait protégé par autre chose qu'un simple nuage rouge.

— Protégé ? Mais par quoi ? s'inquiète Rasga.

— Par ceci ! répond le seigneur, désignant une créature qui se cache au milieu des stalactites.

— Un Pédramalar ! s'écrie le contremaître en fuyant.

Le monstre, dont l'envergure atteint une vingtaine de mètres, a étendu ses tentacules autour des colonnes de pierre. Sa tête est surmontée d'un gros bec corné. Ses yeux, étroits et malsains, se mettent à luire et un rayon jaillit de sa gueule.

Mais avant que l'éclair ne frappe Skalp-Hell, celui-ci déclenche son propre sortilège de protection.

— N'ayez crainte, général Rasga ! déclare-t-il. Mon bouclier se charge de

parer son rayon pétrifiant avant de le lui renvoyer !

La créature hurle de rage lorsque l'énergie de son propre maléfice rebondit vers elle et la percute de plein fouet. Elle tente d'y résister, mais ses membres se changent en pierres et elle tombe sur le sol, se brisant en morceaux.

Skalp-Hell, une note joyeuse dans la voix, se tourne vers le général :

— Je crois que vous devriez rebrousser chemin, qui sait les dangers qui se cachent derrière ces portes ? Je me chargerai seul de la suite.

Le général Rasga hésite, mais il comprend qu'il serait un poids mort pour le sorcier. Il accepte d'un hochement de tête.

— Tout le peuple piranhi vous fait confiance, seigneur Skalp-Hell ! Ne le décevez pas !

— Oh, vous ne serez pas déçus...

Le général a l'impression de percevoir une pointe d'ironie dans la voix de son interlocuteur. Pourtant il fait demi-tour et sort de la pièce.

— Enfin, murmure Skalp-Hell.

Il se dirige vers l'imposant portail de métal. Il l'effleure à peine, les deux battants s'ouvrent en silence, révélant le plus grand trésor de tous les temps.

À Karakis, la capitale elfique, les Légendaires se sont réunis dans l'un des jardins du palais.

— Maintenant que nous zommes là, tu peux nous expliquer pourquoi Gryf a tenu à nous réunir à l'extérieur du palais, Danaël ? s'impatiente Razzia.

— Hélas, je n'en sais pas plus que vous, répond le chevalier. Il m'a juste dit que c'était très important.

— J'espère pour lui qu'il a une sacrée bonne raison ! rouspète Shimy. Parce que j'étais sur le point de me coucher !

— Comme nous tous ! réplique Shaki.

Les Légendaires se tournent vers les trois Fabuleux qui s'avancent. Toopie marche en traînant les pieds, son doudou à la main et les yeux encore pleins de sommeil.

— Mais qu'est-ze que vous faites izi ? s'étonne Razzia.

— Le mage Élysio nous a demandé de le rejoindre, dit Michi-Gan. Mais merci pour l'accueil.

— Gryf et Élysio ? C'est quoi cette histoire ? s'interroge Danaël.

— Vous l'ignorez ? s'étonne Michi-Gan. Ne sont-ils pas vos amis ?

— Disons que c'est un peu compliqué pour Élysio.

— Compliqué du genre ami ou ennemi ? lui demande Shaki, farouche. J'ai ressenti quelque chose d'étrange en le voyant au bal... Comme une impression de déjà-vu.

Shimy hausse les épaules.

— C'est vrai que nous ne sommes pas certains de pouvoir lui faire confiance. Il n'est pas celui qu'il paraît être.

— Z'est peu dire !

— Je crois qu'il est préférable que ce soit moi qui donne les explications ! déclare Élysio qui vient d'arriver.

Gryf l'accompagne.

— Vous pouvez nous dire ce que signifie cette mise en scène ? s'impatiente Shimy.

Élysio prend quelques secondes avant de répondre, pour soupeser chacun de ses mots.

— Le début sera assez simple. Légendaires, Fabuleux, il faut que vous m'aidiez à vaincre le sorcier qui est à l'origine de la guerre actuelle entre les Elfes et les Piranhis !

— Le sorcier ? répète Danaël. Mais quel sorcier ?

Élysio regarde chacun de ses anciens compagnons, inquiet de leur réaction. Puis il finit par avouer :

— Moi !

Sur l'île des Piranhis, Skalp-Hell contemple le Trésor des Dieux: une armure, dans un écrin de cristal. Pour l'instant, elle n'est qu'une dépouille vide, mais bientôt elle va se réveiller et son pouvoir sera alors sans limite.

Enfin son heure est venue ! Il va pouvoir se venger d'Alysia et des Légendaires...

Le mage retire son masque. Son visage est identique à celui d'Élysio, comme s'ils étaient des frères jumeaux. Pourtant sa peau est aussi pâle que celle d'un revenant et ses yeux irradient d'un mal absolu.

Non, Skalp-Hell et Élysio sont bien différents, car Skalp-Hell n'est autre que Darkhell, la face sombre d'Élysio.

Le sorcier noir est revenu, et cette fois-ci il ne laissera personne s'interposer entre lui et ses désirs, et surtout pas les Légendaires !

À suivre...

HA! HA! HA! HA! HA! HA!

RETROUVE LA PROCHAINE AVENTURE DES LÉGENDAIRES DANS LE TOME 4 :

LE SORCIER NOIR

Darkhell, le vieil ennemi des Légendaires, a refait surface pour s'emparer du puissant Trésor des Dieux. Devenu redoutable, il s'apprête à détruire le royaume des elfes et le monde d'Alysia. Les Légendaires et leurs amis, les Fabuleux, s'unissent à nouveau au peuple elfique pour empêcher le mage de nuire...

TABLE

hachette s'engage pour l'environnement en réduisant l'empreinte carbone de ses livres. Celle de cet exemplaire est de :
350 g éq. CO_2
Rendez-vous sur www.hachette-durable.fr

Imprimé en Espagne par CAYFOSA
Dépôt légal : mai 2012
Achevé d'imprimer : septembre 2015
20.07. 2532.8/07 ISBN : 978-2-01-202532-5
Loi n° 49956 du 16 juillet 1949
sur les publications destinées à la jeunesse